SUDOKU

D0345876

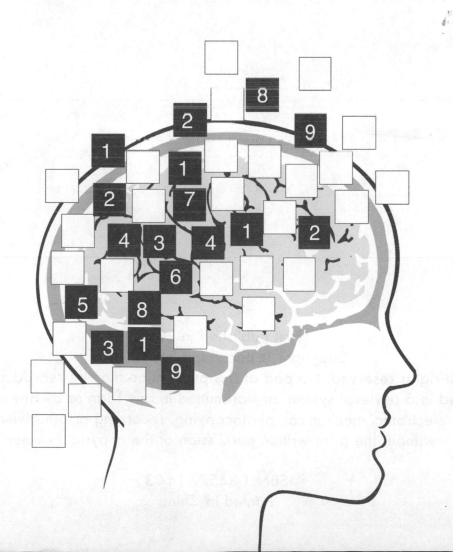

First published in 2005
Copyright © Berryland Books 2005
All rights reserved. No part of this publication may be reproduced,
stored in a retrieval system, or transmitted in any form or by any means,
electronic, mechanical, photocopying, recording or otherwise,
without the prior written permission of the copyright owner.

ISBN 1-84577-144-3
Printed in China

Contents

W9-APD-952

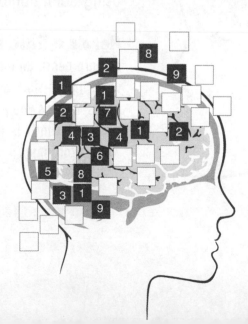

What's it all about?

The game consists of a big square made up of 9 rows and 9 columns (9x9). Within this big square are 9 smaller squares of 3 rows and 3 columns (3x3). Some of the boxes have numbers in and some don't.

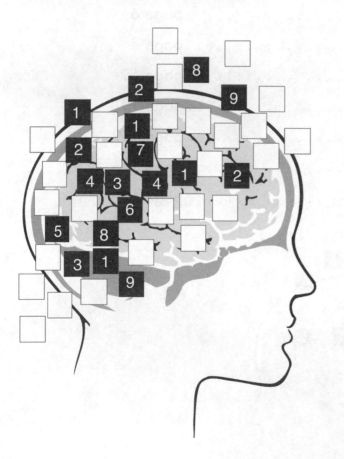

What do you have to do?

The aim of the game is to fill up as many boxes as you can with the numbers 1 to 9 – but which number goes where?!

- Each of the 9 **rows** must contain the numbers 1-9 in any order, using each number only once
- Each of the 9 **columns** must contain the numbers 1 to 9 in any order, using each number only once

'Easy!' you think - but wait! To make it harder, you must also fill **each of the 9 smaller squares (3x3)** with the numbers 1 to 9, again using each number only once.

Here's a little hint: always do it in pencil. Have a sharp pencil and a rubber handy. First time around, write the possible answers as small as you can in the boxes, then as you progress through you will be able to work out which is the correct answer and alter your work accordingly.

SUDOKU

Getting started

1	2	3	4	5	6	7	8	9
		6	4				7	8
8	4		3				6	5
	5	7				2		3
5		9		4		6	8	1
6		1		9	8	7		4
4	7	8	6	1		3		9
9				8	7		3	
	8			5	6		1	2
	6	5	1	3		8	9	7

Let's start with the **rows**. The easiest way is **to look at the 3x3 boxes at the top**. There are 6's already in the top and middle rows, so you will need to put the missing 6 in one of the empty boxes on the bottom row. But which one? It has to be one of columns 4, 5 or 6 because the adjacent 3x3 boxes already have their 6's in place. But now look down the columns; there are already 6's in columns 4 and 6, so the only possibility is in column 5.

Still looking at the top 3x3 boxes, let's turn to the 5's. There is a 5 already in the middle row and a 5 on the bottom row, so

you will need to put a 5 in the top row. Your options are columns 5 and 6 (again the adjacent boxes already have their 5's in place). But before you decide, look down the columns; there is already a 5 in column 5 so your only option is in column 6.

Keeping with the top 3x3's, let's look at the 8's. You already have 8's in the top and middle rows so put another somewhere on the bottom row. What are your choices? Your options are columns 4 and 6 (you have just filled column 5's space with the number 6). Look down the columns and you will see an 8 already in column 6 so your only choice is to put it in column 4.

Carry on like this until you have done as much as you can. But you're not finished yet!

What's next?
Now you have to check the **columns**. Let's begin by looking at the block of 3x3's on the left hand side.

We start by finding out which numbers might fit into the top box in column 1. It might be 1, it might be 2, or even 3. It can't be 4,5,6,7, or 8 (already in the 3x3 box) or 9 (already in column 1).

Write numbers 1, 2 and 3 in light pencil in the box. Continue examining each box in this way. When all are completed, you will be able to see that only **one** number is right for each box.

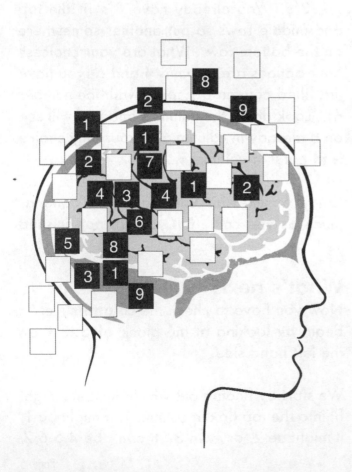

To conclude: fill in the grid so every row, column and 3x3 square contains the numbers 1-9.

Using this book

The book is divided into 3 sections – beginner, intermediate and advanced.

In each section there are numbered puzzles. These get steadily more difficult as you work your way through the section.

At the back, there is a final section. This is for you to use when you finish each puzzle, get stuck or just give up! It's got all the solutions in it. It is also divided into beginner, intermediate and advanced sections. Look at the number of your puzzle and match it up with the number in this section.

That's all there is to it.
Enjoy your sudoku book!

Have fun!

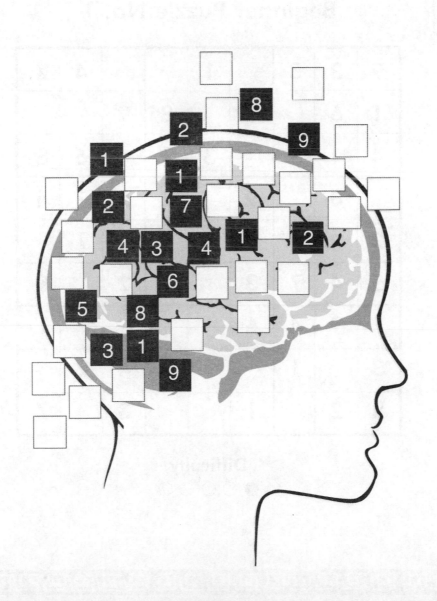

Start Time

Beginner Puzzle No. 1

9	3	8		1			4	2
1	6		7		8	9		
4		5		3	9		6	8
	8		9		2	5	1	4
2		9		8		6	7	
5	4	7	3			1	2		9
	9	4	6					1
3		1		9	7	4	2	
8	2		1			3		7

Difficulty

Finish Time

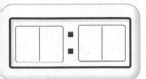

Start Time

Beginner Puzzle No. 2

	4	5		6		2		8
	7	2	3		4		6	1
6			2	7	5	3	9	
	3	7	4		6		5	9
4		9	8	2	7	6		
	6	1	5		3	4		7
7	8		6	5	1		3	2
	2			3	8	7		5
5		3					8	6

Difficulty

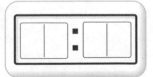

Finish Time

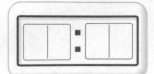

Start Time

Beginner Puzzle No. 3

3		9	1		7	6	4	
	8	4	2	9		1		3
	6		5		3		8	9
7		8		2		4	5	
	9	6		7	5	3		
2		1	3				9	7
9	1	5		3	2		6	
8	7			1	9	5		4
6		3	7		8		1	2

Difficulty

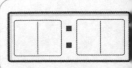

Finish Time

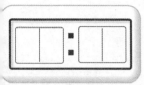

Start Time

Beginner Puzzle No. 4

5		3	1		6	2		7
	8		2	4	7	1	5	
2		1		3	5		9	6
	2	7	4			5	6	
8		6	7	2	1	9		4
1		4			3	8	7	
4	6		9	7		3		5
	1	8		5	2		4	
9			6			7		8

Difficulty

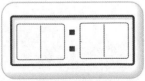

Finish Time

SUDOKU

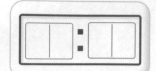

Start Time

Beginner Puzzle No. 5

	7	2	6	1		3	8	
3		8		9	2		7	4
4	9			8	3	5		
		4	1				9	3
9		3	4	7	5		1	6
2	6	1			9	4		
	3	5	9		7	1	6	
1		7		6	8	9	3	
	2			5	1		4	8

Difficulty

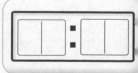

Finish Time

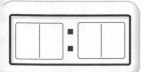

Start Time

Beginner Puzzle No. 6

		9		5	3	8	1	
1	8	7		9	2	4		5
	5			1	8	6		7
	3		2				5	8
	9	5			4		2	6
8		2	5			3	7	4
9		8		2	6			3
3	2			4	5	7	8	1
		1	3	8	7		6	

Difficulty

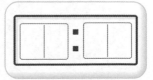

Finish Time

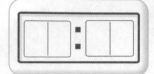

Beginner Puzzle No. 7

	5	1	8				4	
6		3		4	7	5		1
	9		1	5		6	7	3
9		8	2		4	1	3	
	4	2	3		5	9		7
5	3		7	1			2	4
2	1		4		8	3		6
	8	5		9			1	
3			5		1	4		8

Difficulty

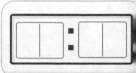

SUDOKU

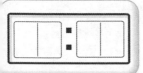

Start Time

Beginner Puzzle No. 8

2		3	7	8		1		
5		9	6		3			7
	8	7	9		2		6	3
		2		5	9	3	4	1
9	4	8		2				6
1			4	7	6		2	8
	5	4		9	8	6		2
7	9						3	5
	2	6		3	7	4		9

Difficulty

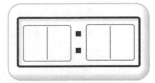

Finish Time

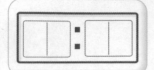

Start Time

Beginner Puzzle No. 9

		3	7		2		8	4
5				4	6			1
7		4	3		1	6	5	2
3			9	1			6	8
	4	9		8	3	1	7	5
	1	8	6	7			4	
4		6	5		9	8		7
9			1	3			2	6
	2	1		6	7	5		

Difficulty

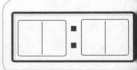

Finish Time

SUDOKU

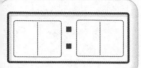

Start Time

Beginner Puzzle No. 10

1				2	7			5
9	7	5	8		3			
	2		6	9	5	7	8	1
		2		6	8		4	3
4	5	9					6	8
	6	3	5	4		1		
6	3	8		5	4	9	1	
2	9	1	7		6		5	
5			1	8		6		2

Difficulty

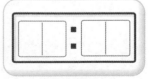

Finish Time

SUDOKU

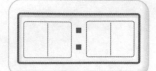

Start Time

Beginner Puzzle No. 11

	7	1				9	2	5
	3			5	9		8	7
9		8	7	6	2			3
	8	9		2	1	3	7	
	4	6		7		2	5	
			5		3	8		9
2		3	4	1	7	5		8
	9			8	6	1		
8	1		2	9			3	6

Difficulty

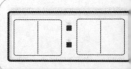

Finish Time

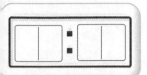

Beginner Puzzle No. 12

6	1			7	9	4		3
7				8		9	1	5
9			4	3	1		6	
2	4	7	1		8	5		
3				9	4		2	
		9	2	5		8	7	4
8	7	6			5		9	1
			8	2	6			7
4			9	1		6	5	8

Difficulty

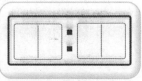

Finish Time

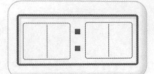

Start Time

Beginner Puzzle No. 13

2	6		1		3		7	8
1		3	5		7	6		
	8		2	4			5	1
6			3			9		7
	7	8		5	2	1	6	
3		1			8	2		5
	3	4			1		2	9
7			8	3		5	1	4
8	1	9		2	5		3	

Difficulty

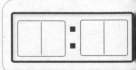

Finish Time

SUDOKU

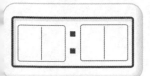

Start Time

Beginner Puzzle No. 14

	7		2		9	6	5	
9		8		1	5		2	
	5	2	6			9		3
6	4		8	5		7	1	
		5	1		7	8		
7	8	1		4	3		6	5
4		9		2	6	1	7	
	2		4	3		5		6
5	1		7		8		4	

Difficulty

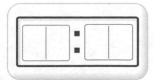

Finish Time

Start Time

Beginner Puzzle No. 15

1	8		9		4	5		6
		2		1			7	
3	4		6		7	1	8	2
		6		3	1	9		8
2		4		8	9	3		
8	9	3		4	6		1	5
		8	3	9		6	5	
9	3			6	8	7		4
6			4		5		9	

Difficulty

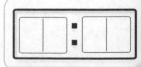

Finish Time

SUDOKU

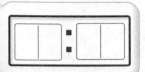

Beginner Puzzle No. 16

2	4		5		7	6		3
		3	2	6		7		4
7		1		4	9		2	
6	2	4		5		3		
		9	8		6	4	5	
8			4	7		1		9
4	1			8		9		6
	9	7	6		3	8	4	1
3				9	4		7	

Difficulty

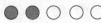

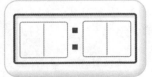

Finish Time

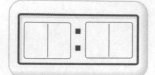

Start Time

Beginner Puzzle No. 17

8		3	1				6	2
4			9	6		8	3	1
	9		8		3	5		
	8	9			2			5
6		5	3	4	9	2	8	7
		4			5		1	9
9				3		1		
5	6	8	2	7			9	3
	3	1	4			7	5	8

Difficulty

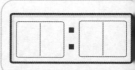

Finish Time

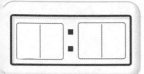

Beginner Puzzle No. 18

8			3		7			5
7	3		9				2	6
1	4	9		5		8	3	
	1	8			6	7	4	
		4	2	7	9	5		
	7	2	8				6	9
2	5	1	4	9	8			3
	9	3		6		2	8	
	8		1		3	9		4

Difficulty

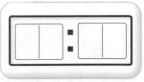

Finish Time

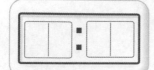

Beginner Puzzle No. 19

	2	7		3	8		4	1
8			6	2		5		3
4			1			2	9	8
	6	4	2		9		3	
	7	9		6	1	4		
2			3	4		9		6
6	1	8	4		3		5	
			5	1		3		9
9		3	7		2		6	4

Difficulty

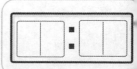

Finish Time

SUDOKU

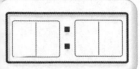

Start Time

Beginner Puzzle No. 20

		9			7	6		3
3	8		5	6			9	4
	5	4		1		2	8	7
8	6				9	5		1
			2	5	6			9
	7	5	8			3	6	
5	9	3			4		1	8
7	1			9	5		2	6
2		6	1		8			5

Difficulty

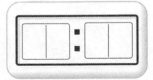

Finish Time

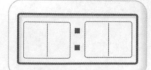

SUDOKU

Beginner Puzzle No. 21

	1	7			2			5
3		2	9		6	1	8	
8			1	7		9	4	2
	8			9	5		6	
5		4			8	7		1
	7		4	6			5	
7	9	1	6			5		3
4	3		2		9	8	7	
	2	8		3			1	9

Difficulty

Finish Time

SUDOKU

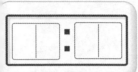

Start Time

Beginner Puzzle No. 22

8		6		4	9	2		5
7			5				1	4
	5	1		3	7			
1		3	4		2		5	9
6	7			9		4	2	
2	4		8		5			7
		4	9		8	7		2
5		7	6	1			8	
9	6		7		3	5	4	

Difficulty

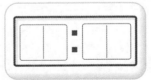

Finish Time

SUDOKU

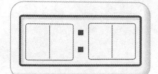

Start Time

Beginner Puzzle No. 23

	4		8		2	6		3
7		2		3	4		1	
8			7			2		4
	7	8		2		4	3	
	2	9	5		8	7	6	1
6	5	4		7		8		
2	1				9		8	7
4		6	3	1		9		2
	3		2		5		4	

Difficulty

Finish Time

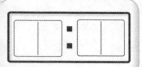

Beginner Puzzle No. 24

8		9		2		1		5
3		1	5		9		8	2
6	5		8	3		9		4
1				5	8			
2	9	8		6			5	1
			9		3			8
	8		3	4		5	1	
5		3		8	7	4		6
	1	7	6		5	8	2	

Difficulty

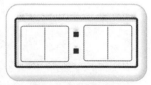

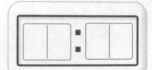

Start Time

Beginner Puzzle No. 25

5	1	6			4		8	
4		7			8		5	
		3	1	5				4
	4		9	7	6		2	3
3				2	5			9
9	6		4	3			7	
7			6	8		4		
	2				3	7		6
6			7			8	3	2

Difficulty

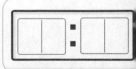

Finish Time

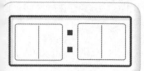

Start Time

Beginner Puzzle No. 26

6		5		8	7		1	2
	4		5	1		8		
2		1			6		3	7
	5		7	9	1		2	
9	6		4			1	7	3
		7	6	2	3			
	2	8			9	3	4	6
	3		2	6		7		
4			8		5		9	1

Difficulty

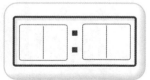

Finish Time

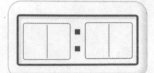

Start Time

Beginner Puzzle No. 27

	3	2	8	1	6		5	9
5			3	7	4	8		2
	7	8	9				6	
		7			5	6		1
2	1		7	4			8	5
		5			3			4
	9	1			8		2	
	5		6	2			4	7
6	2		5	9	7	1		

Difficulty

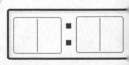

Finish Time

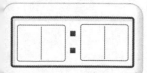

Start Time

Beginner Puzzle No. 28

		5		3	6			2
3		2		9	5		8	
9	1		8		7	5		3
4		1	6			3	2	
	7	6		4	2	1		8
2	3		9	5			7	
		3	7		9	2	5	
	2		5	6				9
6		9	2			7		1

Difficulty

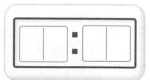

Finish Time

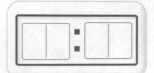

Start Time

Beginner Puzzle No. 29

	6			9		4		1
5	3		4		8		9	
9		4				7		8
4	7		5		9	1	2	
1		5	7		4	6		9
	8	9			2	5		4
8		3		7		9	1	2
	9		8		1			5
6		1		2		8	4	

Difficulty

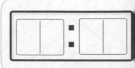

Finish Time

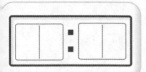

Beginner Puzzle No. 30

7			5			2		8
	1	8		9	6			3
3		5			2	1	4	
	7	6		3		4		
8	5		2	4	7		9	1
	4				9	3		7
4	2		7		5			6
		9		6	1		2	4
6	3	7		2		8	1	

Difficulty

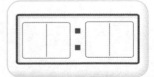

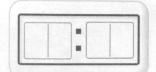

Beginner Puzzle No. 31

9	6		3		4	2		1
			5	2		9	7	
7	2	1		8		5		3
8			7		6	1		2
		6		5		8		
	7		1		8		5	4
5		7		1	3	4		
		2		4	7		1	5
1		3	8			7	2	

Difficulty

Finish Time

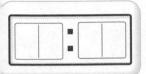

Start Time

Beginner Puzzle No. 32

8	6			3		2		5
	4		6		8	3	9	
9	2	3			7	4		6
		5		8	6	9	1	
1			4		5		2	3
	8	4	2	9		5		
	5			4		6		8
6	3		7	5			4	
	1		8			7	5	

Difficulty

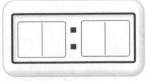

Finish Time

SUDOKU

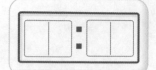

Start Time

Beginner Puzzle No. 33

3		2	6			9		8
	5	6		9				3
		9	8	2	3	4		
6	2				9	3	4	
4		1	3	6	5			2
	8	3	4			5		6
1				4	8		5	
	6	4		3		2	8	
2			5		6		3	4

Difficulty

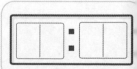

Finish Time

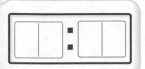

Start Time

Beginner Puzzle No. 34

3	4			1	9	7		
9		1	7		3		5	
	5	7	2			9	3	
4				2	8			3
	7		3		1		2	4
5		3		7	6			
	3	4		9	2		6	5
	6		8		7	3		9
1		8			5	2		7

Difficulty

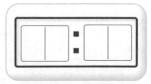

Finish Time

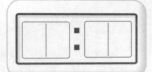

Start Time

Beginner Puzzle No. 35

2			4	7		8		6
3		8			1		5	9
	6	4		5	3		2	
4			3			6		5
	9	7		1	5		4	
	5		9			1		7
1				3	2		6	8
5		6	1		8	2		4
7	8		5		6		1	

Difficulty

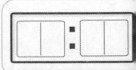

Finish Time

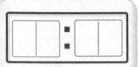

Beginner Puzzle No. 36

8		2		7	3	6	4	
	3					5		8
1		9	5		6	7	3	
	8			9			2	6
6		3		1	5			7
	7	1	2				5	
3		4	7		1			5
2	9			5			7	
5	1			3	9	2		4

Difficulty

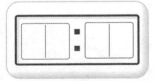

SUDOKU

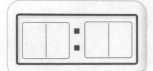

Start Time

Beginner Puzzle No. 37

		6		1	5	4	2	
8	4		7		2		9	1
	3			8		5		7
		4	8	5			7	9
9	7		6			1		5
5		2		7	3	6	8	
	5	7			8			6
	2					8	5	
	8	3	5	9				2

Difficulty

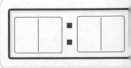

Finish Time

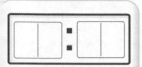

Start Time

Beginner Puzzle No. 38

5		2	3	6		1		7
		7			4	3	2	
	3		1		2			5
	9	8			3		7	2
2			8	9		4		3
	7	3			1	9		
8			4				3	1
	2	1			5	6		4
3		6		1	8	2		9

Difficulty

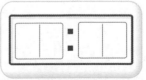

Finish Time

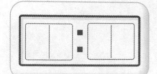

Start Time

Beginner Puzzle No. 39

7	1			2	8		6	5
2	8					3		7
	4			1	6		8	2
1		8					9	4
4	5		9	8			3	1
	7	3				2	5	
	3	1	4		2			6
6	2			3			4	9
8			6	7				3

Difficulty

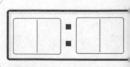

Finish Time

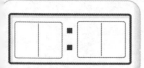
Beginner Puzzle No. 40

4		7			6		9	8
	8		9	4		7		
9					8		5	2
7	2		6	8		1		4
3			4		7			9
8		4			1		2	7
2	9		5			6		1
	7	5		6	9		4	
6		8	1			9		5

Difficulty

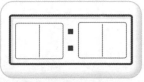

Finish Time

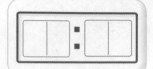

Start Time

Beginner Puzzle No. 41

6	7		4		8	3	5	
		2	1	3	7			8
8				5				7
		7	8		1		9	5
5					9			3
4	2	9	5	7				6
	3		6			9		
		5	7			6		1
1	9	6	3		2		7	4

Difficulty

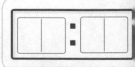

Finish Time

SUDOKU

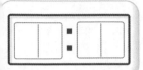

Start Time

Beginner Puzzle No. 42

5	1		7		9	3		6
7						9	8	5
6		9	5	4	3	7		
9	6			3		4		7
		5	8	9	7	6		
3		7			5			8
	5		6		2			9
8	7	6					1	
	9		3			5		4

Difficulty

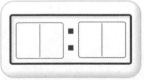

Finish Time

SUDOKU

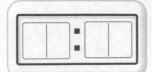

Start Time

Beginner Puzzle No. 43

9		6	5				2	8
		8		9			5	6
5	4		7				3	9
		7			4	3		
1	6		3	7	2		8	4
		4	6			2		
4		3			7		9	2
8	2		4	3		6		
6			9		8	5		3

Difficulty

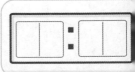

Finish Time

SUDOKU

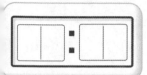

Beginner Puzzle No. 44

5		8	1		3		9	
9		4		6				2
	6	1	4		2		7	
1			7		6	9	8	
		5		8				1
8	9				1	4		
	1		6	2			5	7
7		6	3			2	4	9
	5		8			1	3	

Difficulty

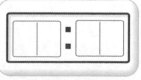

Finish Time

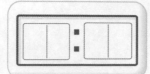

Start Time

Beginner Puzzle No. 45

1		4		3		5		7
		2	5		4			
5	7		1	8			3	2
	8	3	7			1		5
		7	3	6	5	8		
9	2				8	7	6	
3		8	6	4			5	
	4		9		1	3		8
	5			2			9	

Difficulty

Finish Time

SUDOKU

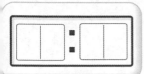

Start Time

Beginner Puzzle No. 46

	6	1			4	7		5
	8			7	2	3		
7			6				8	2
	9			3	1			8
	4	2		6	8	9		1
1		8		9	7		3	
		5	9			8		3
9			8		3			7
8		3			5		2	9

Difficulty

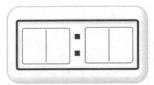

Finish Time

SUDOKU

Beginner Puzzle No. 47

		5	2			1	6	4
8			6	4			5	
	6			5	9			3
5			9			3	4	
	4		8		3		2	5
3	9	2			4	7		
	1		3		5			7
7					6	5	1	
6	5	9		8		4		2

Difficulty

● ● ● ● ●

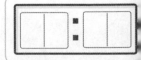

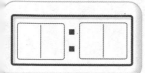

Start Time

Beginner Puzzle No. 48

9		4			6	8		3
			1	9			4	
2	5	6	8			9		7
	9			8			6	2
6			5	7	9			8
7	3		4	6		1		
5					8	6	7	9
	6		9					
8		9	6		4	3		1

Difficulty

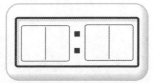

Finish Time

SUDOKU

Start Time

Beginner Puzzle No. 49

	1	3		5	9	8		2
8			2		1		3	
		2				6	7	1
4		1		9		7		5
3			5		6			
	6	5			7	2		3
1	4	6		8				7
		8			3	4		
7		9		4	2	1		8

Difficulty

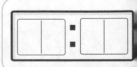

Finish Time

SUDOKU

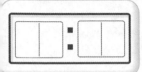
Beginner Puzzle No. 50

	6	1		5		2		3
5			6			8	1	
	7	3		8		6		4
			7		5	4		
3		7	8	2	4	5		9
4			3		6		8	
9		6		7		3		8
	3	5			8			
	8		2			9	7	5

Difficulty

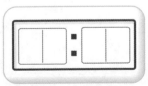

Finish Time

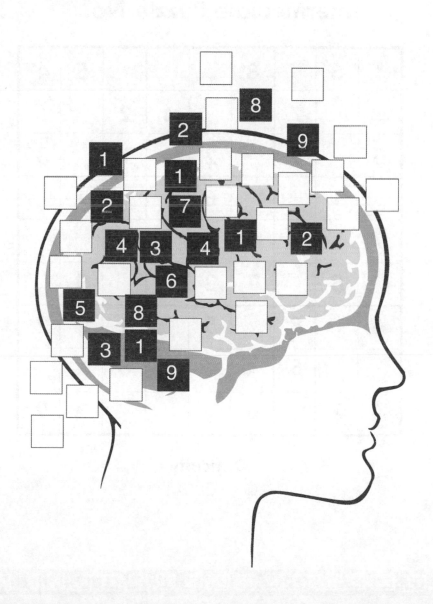

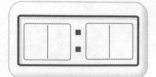

Intermediate Puzzle No. 1

1	6		8				5	4
		7	5		4	2		
5		9		2		7		3
	1			6			7	
7		3	9		1	6		
	8		7	3			9	
6		8		5		1		2
		5	4		2	8		
4	2		6				3	9

Difficulty

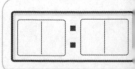

Finish Time

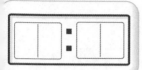

Start Time

Intermediate Puzzle No. 2

		3		9		8		2
4		5	3		2	1		9
	2		8	5	1		6	
8		1			9			5
		2		4		6		
3			6			9	8	1
			9	7	4			
1		4	2		6	7	9	3
		6		1		2		

Difficulty

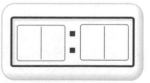

Finish Time

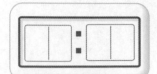

Start Time

Intermediate Puzzle No. 3

	5		9		8		7	
6		8		4		5		9
		4	5		3	1		
8			2	7	5		1	4
	4	7				2		
5			4	3	1		6	8
		6	7		4	3		
3				5			4	1
	8		3		2		9	

Difficulty

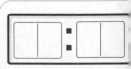

Finish Time

SUDOKU

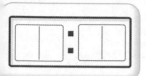

Intermediate Puzzle No. 4

	6		2		7		4	
8		3		4		2		6
	5	4				9	3	
3			8	1	9			2
	1	8			3		6	
7			5	6	4			1
	3	7				6	9	
9		5		7		1		3
	2		3		8		7	

Difficulty

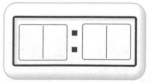

Finish Time

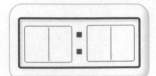

Start Time

Intermediate Puzzle No. 5

5		4	1		3	2		6
	1	3		9		5	4	
	7				4		1	
8			3		9			4
	6			2			3	
3			4		7	8		2
	5						6	
	3	8		4		7	2	
7		2	5		6	9		1

Difficulty

Finish Time

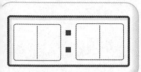

Start Time

Intermediate Puzzle No. 6

	4		8	9			5	
7				5				8
		8	3		6	4		
8	1		9		3		7	5
		3	7	8	5			
6	5		1		4	8	3	9
		2	6		1	5		
1				3		7		6
	3			7			2	

Difficulty

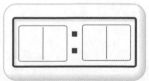

Finish Time

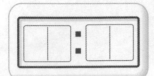

Start Time

Intermediate Puzzle No. 7

6		8		4		7		2
	4		5		2		1	
1			7		6			8
	7	2		5		9	6	
3			2		4			7
	8	1				3	2	
9			3		8			5
	6		4		9		8	
8		7		2		4		6

Difficulty

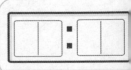

Finish Time

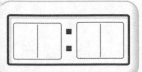

Start Time

Intermediate Puzzle No. 8

8		9			6			7
	4		1			5	3	
	2			7	4			9
1		3			5	2	8	
	7		9	1	8		6	
	6	8	2			9		1
2			3	9			5	
	3	6			1		9	
9			6			7		3

Difficulty

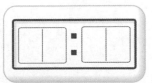

Finish Time

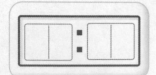

Start Time

Intermediate Puzzle No. 9

	3			8	4			2
7			3		6		4	
		6		2			1	
8		3			1	4		6
1				9		2		7
2		5			7		8	3
	4			3		5	7	
6		7	5			9		8
	5		1	7			2	

Difficulty

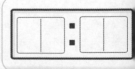

Finish Time

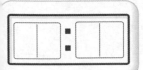

Intermediate Puzzle No. 10

6		4			5		2	7
	8		6			9	3	
	9		4	8	2			
1		7				3		9
3	5			4			7	6
8			1			2		5
	7		3	6			1	
	2	1			8			3
5			7		1		9	

Difficulty

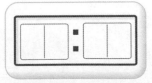

Finish Time

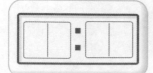

Start Time

Intermediate Puzzle No. 11

6			4		2			3
	2	9		3		5		4
	5		9		8		6	
8		1				2		9
	9		2		3		7	
2		7		1		6		5
	4		7		5		1	
		3		2		9		7
5			3		1			8

Difficulty

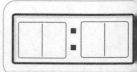

Finish Time

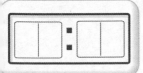

Start Time

Intermediate Puzzle No. 12

9		3		7			2	
	7		5		9	8		6
	5			6	3		9	
8		7	3			5		2
3		2		1		4		
	4	6		8		9		3
6			2	4			7	
	2		8		7			1
	3			5		2		

Difficulty

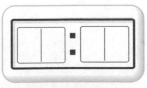

Finish Time

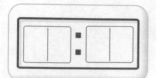

Start Time

Intermediate Puzzle No. 13

	2	9	7			4		3
6			2	1			8	
	8	4				1		
			9		7		4	
4	9			6			3	1
	6		1		3			
8		1				2	7	
	5		3	2	8			4
2		6			1	3	9	

Difficulty

Finish Time

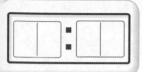

Start Time

Intermediate Puzzle No. 14

	5	9		7	6			3
6				8		9		
	7	8				4	6	
5	1		7		4			
4		2		6		7		5
8			1		2		4	9
	8	4				5	2	
	2			4				
9			8	2		1	7	

Difficulty

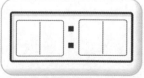

Finish Time

SUDOKU

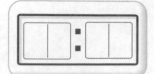

Start Time

Intermediate Puzzle No. 15

	1		4		2		3	
4				7				9
		8	1		3	6		
6		2		8		9		1
	8		9		5		2	
3		5		2		8		7
		4	2		6	1		
1				3			6	5
	3		7		9		8	

Difficulty

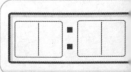

Finish Time

SUDOKU

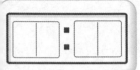
Intermediate Puzzle No. 16

		6	2		3	1		
8	7		5		6			3
	2			7			4	
	5	7		3		6	9	
4			7		2			5
	3	1		8		4	7	
	4			2			6	
6			4		1			9
		9	8		7	2		

Difficulty

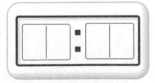

Finish Time

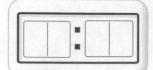
Start Time

Intermediate Puzzle No. 17

5		4				3		1
2			8		7			4
	1		4		5		6	
		9	7	4	3	1		
8								5
		1	5	8	9	7		
	9		6		1		8	
7			9		4			3
	4	2				6		9

Difficulty

Finish Time

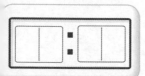

Intermediate Puzzle No. 18

7	1			9			3	6
5		4	2		8			1
	2					4	8	
		1	7		9			
	3	5				9	2	
			5		3			
	4	6				5	7	
1			3		4	8		9
8	9			5			4	3

Difficulty

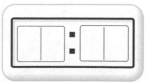

Finish Time

Start Time

Intermediate Puzzle No. 19

	8			9			6	
		7		6		1	2	
1			5		3			8
	6	5	8		2	9	3	
3			6	1	7			
	2	1	3		9	6	7	
4			2		5			6
		2				5		
	3			7			4	

Difficulty

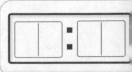

Finish Time

SUDOKU

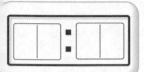

Start Time

Intermediate Puzzle No. 20

	7		9		1		8	
8			5		6			3
		3		7		5		
	5	1		9		4	6	
2			1		7			5
	3	8				2	1	
		5		1		7		6
4			2		3			9
	6		7		4		3	

Difficulty

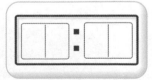

Finish Time

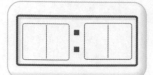

Start Time

Intermediate Puzzle No. 21

9	8						3	2
		1	8	3			4	5
5				2		8		
			9			4	7	
3		4		8		9		
	9	5			7			3
		2		9			6	
7	3			6	2	5		
4	6						2	9

Difficulty

Finish Time

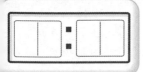

Start Time

Intermediate Puzzle No. 22

3			8		9			5
		9				2	7	
6		5		7		9		8
	5		7		8		1	
9		8		3		4		
	3		2		5			
2		3		5		8		1
	8	4				6		
7			4		6			3

Difficulty

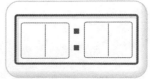

Finish Time

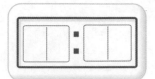

Start Time

Intermediate Puzzle No. 23

7			1				6	2
9					7		5	4
	8			2	3			
			5		6		1	
	5	1				7	4	
	9		7		4			5
			2	7			3	
5	2		6			4		1
1	3			4	5			7

Difficulty

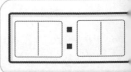

Finish Time

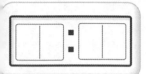

Start Time

Intermediate Puzzle No. 24

8	5			1			6	4
		2				1		
9		1	6		4	7		
	9			3			2	
		3	2		8	5		9
	8			5			1	
3		6	4		7	9		
		9				8		
4	7			9			3	2

Difficulty

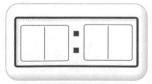

Finish Time

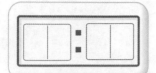

Intermediate Puzzle No. 25

1		8		2		9		6
	2	6	3		9	1	5	
			6	1	8			
	1						8	
		7				3		
	6						9	
			5	4	2			
	9	4	7		3	5	6	
5		3		6		7		4

Difficulty

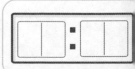

SUDOKU

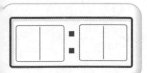

Intermediate Puzzle No. 26

6		2				7		8
	9	7				1	5	
1			8		6			
	1		4		3		8	
9			6		2			
	4		7		5		9	
7			1		9			4
	8	1				3	2	
3		9				5		1

Difficulty

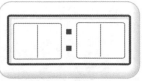

Finish Time

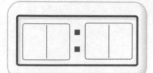

Start Time

Intermediate Puzzle No. 27

6		4		3			1	
	8		1	4		2		6
3		1				4		7
			6			3	8	
	3			5			7	
	7	6			3			
1		2				5		3
8		7		2	5		9	
	5			1				8

Difficulty

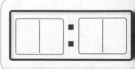

Finish Time

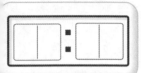

Intermediate Puzzle No. 28

	6		3		8		4	
	8	3		2		6	5	
2		1				3		
			8		2			6
6		7				8		
8			6		1			4
		5				7		
	9	8		6		4	1	
	4		5		7		2	3

Difficulty

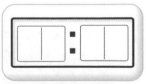

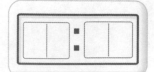

Start Time

Intermediate Puzzle No. 29

2	8						6	9
		7	3		8	4		
	4	5		9		3	8	
			6		4			3
	3						1	
			9		3			
	7	6		4		2	3	
		9	1		5	7		
3	1						5	8

Difficulty

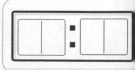

Finish Time

SUDOKU

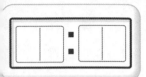

Start Time

Intermediate Puzzle No. 30

8	4				9	6		7
9					8	2		5
		3		7	4			
		9	8					2
	1	2				5	8	
					6	1		
5			7	8		4		3
2		7	6					1
1		4						8

Difficulty

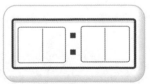

Finish Time

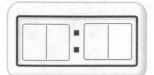

Start Time

Intermediate Puzzle No. 31

		8		2		6		9
	9						7	
5			9		7			8
	3	6	7		1	5	9	
			2		5			
	5	2	3		6	7	4	
1			6		9			4
	4						2	
		5		3		1		

Difficulty

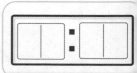

Finish Time

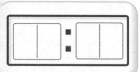

Start Time

Intermediate Puzzle No. 32

8			6		7			3
		3		1		5		7
	9						8	
	8	2	1		6	9	5	
			9		5			
	7	5	2		3	6	1	
	2						7	
		6		9		4		
4			7		2			5

Difficulty

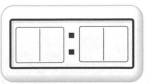

Finish Time

SUDOKU

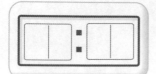

Start Time

Intermediate Puzzle No. 33

1	6			4			5	
7	8		6		2		9	4
			5	8	9			
5		1						8
	2						1	
6								9
			4	3	7			
9	7		2		1		3	6
	1			9			2	

Difficulty

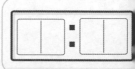

Finish Time

SUDOKU

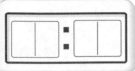

Start Time

Intermediate Puzzle No. 34

9		5				4		6
			4		9			
	7	6				9	3	
	3		6		2		9	5
5			7		1			
	4		5		8		2	
	5	9				8	4	
			1		3			
3		8				7		1

Difficulty

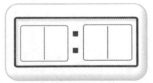

Finish Time

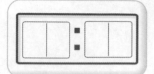

Intermediate Puzzle No. 35

4	2			7			8	5
	8	9				1	6	
1		2	9		8	5		4
	3						9	
		8	4		3	7		
8	5	1				3	4	9
2	9			8			1	7

Difficulty

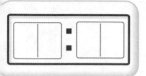

Start Time

Intermediate Puzzle No. 36

3			2	4	7			
	2	8	9		5	6	4	
	7			8			5	
		4				7		
	3						9	
		2				5		
	9			2			3	
	1	5	3		9	2	6	
			6	1	8			5

Difficulty

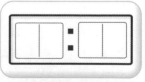

Finish Time

SUDOKU

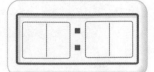

Start Time

Intermediate Puzzle No. 37

6		9			3	5		
	7		1			3		6
	1		5					
7		1	6	9				
9		5			1			2
				5	8	1		4
					6		8	
8					5		7	
		7	3			2		9

Difficulty

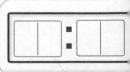

Finish Time

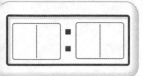

Intermediate Puzzle No. 38

	9						2	
		4		7		1		
2			3		5			4
	2	6	7		3	9	1	
			9		1			
	5		6		4	3	7	
8			5		6			1
		3		9		8		
	6						5	

Difficulty

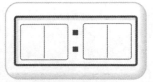

Finish Time

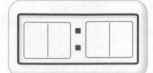

Start Time

Intermediate Puzzle No. 39

			2	3				7
8	1		5				4	
6	3				9		5	
9			6					
1		5				9		8
					5			4
3	5						9	2
	9				6		8	3
2				5	3		1	

Difficulty

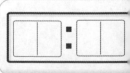

Finish Time

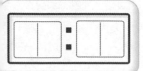

Start Time

Intermediate Puzzle No. 40

		6				7		
	9		6		2		4	
1			5		8			6
			2	5	3	8		
5								2
		3	8	6	7	9		
8			3		6			7
	3		4		9		5	
		1				4		

Difficulty

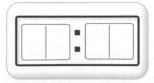

Finish Time

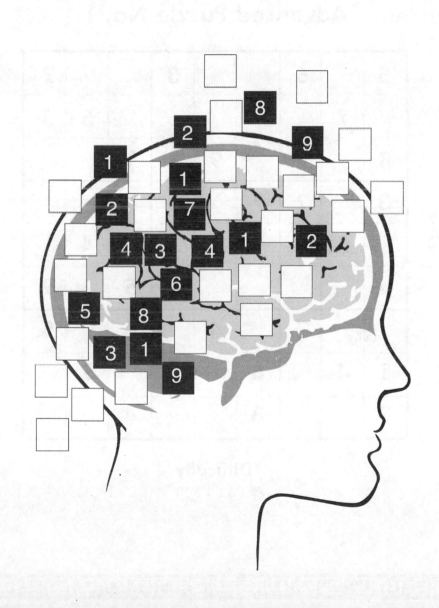

Start Time

Advanced Puzzle No. 1

5		6			3			7
	7				6		5	3
8				9		1		
3		2	7					
	5						4	
4					1	5		9
		7		4				5
1	4		6				9	
2			8			4		

Difficulty

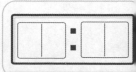

Finish Time

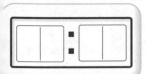

Start Time

Advanced Puzzle No. 2

9			6		5	3		1
3	4							
	1	7					9	
6				2				8
		9	3		4	6		
2				8				
	6					7	4	
7							1	2
4		3	1		8			9

Difficulty

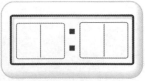

Finish Time

SUDOKU

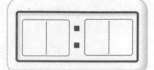

Start Time

Advanced Puzzle No. 3

5			3			7	8	
				8		9		
		8				5		2
7			2				9	8
	2		4		7		6	
1	9				5			3
6		2						7
		5		1				
	7	1			4			9

Difficulty

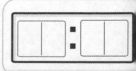

Finish Time

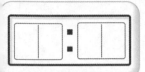

Start Time

Advanced Puzzle No. 4

3						6	2	
				4		5		
7			9			8		4
	8		2				4	5
2			1		8			3
5	7				6		9	
8		7			1			
		6		7				
	3	2						7

Difficulty

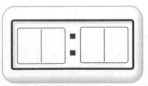

Finish Time

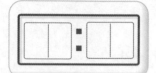

Start Time

Advanced Puzzle No. 5

		3				7		
8			3		4			2
4	1			9			8	3
	3			5			9	
			1		6			
	5			7			3	
5	4						7	9
2			5		3			1
		1				6		

Difficulty

Finish Time

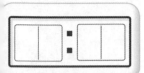

Start Time

Advanced Puzzle No. 6

	7		5		6		4	
	3	1				2	5	
9								7
		6		1		5		
			7		9			
		3		5		6		
1								6
	6	8		3		7	2	
	4		6		2		8	

Difficulty

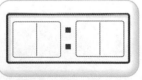

Finish Time

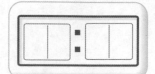

Start Time

Advanced Puzzle No. 7

6			4		8	1		
	2	7					3	4
9	4							
				8				9
		3	1		2	6		
8				9				3
							2	1
	6					7	4	
4		1	3		5			6

Difficulty

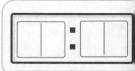

Finish Time

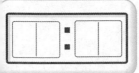

Start Time

Advanced Puzzle No. 8

			5					6
				7	2			1
3		5		9				2
		2					6	
8		3				4		7
	9					5		
5				6		2	8	3
1			2	4				
9					8			

Difficulty

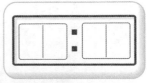

Finish Time

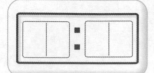

Advanced Puzzle No. 9

		8				1		9
2				7			3	
9	5		1			4		
	4	3			6			
6								1
			7			6	9	
		5			4		6	8
	6			5				2
3		1				9		

Difficulty

Finish Time

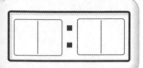

Start Time

Advanced Puzzle No. 10

4	2	5						8
	3		6		7			
		7		8	4			
		6		9	3			
7								1
			2	5		9		
			4	3		5		
			1		5		8	
5						1	3	2

Difficulty

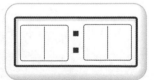

Finish Time

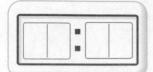

Start Time

Advanced Puzzle No. 11

		9	7				4	6
6			5					2
		8			3		7	
7	5							3
		3				9		
							1	4
	3		6			7		
9					5			8
2	8				9	6		

Difficulty

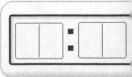

Finish Time

SUDOKU

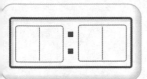

Advanced Puzzle No. 12

9					1			
1		2			4	9		
	3			7				8
7	2				3			
		6				2		
			9				5	1
2	5			6			9	
		7	4			6		3
			8					5

Difficulty

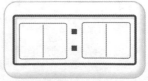

Finish Time

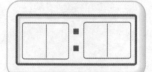

Start Time

Advanced Puzzle No. 13

		6		3	8			
9			6		7			
3	1	7						
			3	4		5		
	7						2	
		4		6	1			
						6	8	1
			2		5			3
7			8	9		2		

Difficulty

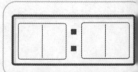

Finish Time

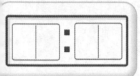

Start Time

Advanced Puzzle No. 14

		9				1		
5							8	2
	8		4		1		9	
4				9				1
	5		3		4		7	
1				6				8
	3				7		2	
9	7							5
		6				3		

Difficulty

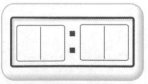

Finish Time

SUDOKU

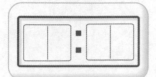

Start Time

Advanced Puzzle No. 15

2						4	9	5
			3		2			6
			9	8		3		
		7		4	5			
	1						3	
			6	7		2		
		4		6	9			
8			4		1			
6	5	1						

Difficulty

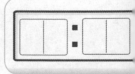

Finish Time

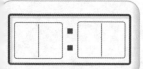

Start Time

Advanced Puzzle No. 16

6				7	3			
	2		6		5			
5	7	1						
			7	4				8
		5				9		
4				6	1			
						3	1	6
			9		8		7	
			3	2				9

Difficulty

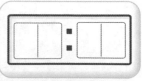

Finish Time

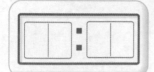

Start Time

Advanced Puzzle No. 17

	9	8						2
	5		2			6		
2			5				7	4
	7				5			
		1				3		
			3				4	
4	1				6			9
		5			7		1	
6						8	2	

Difficulty

Finish Time

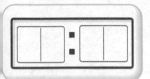

Start Time

Advanced Puzzle No. 18

8			7				6	4
			1				5	
	9			4		3		
			3			5	2	
4								9
	8	9			6			
		6		8			1	
	3				2			
9					7			3

Difficulty

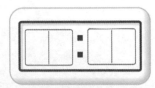

Finish Time

SUDOKU

Advanced Puzzle No. 19

8		5			7		2	
	4				2			
2				6				7
			5			1		9
	7						6	
9		8			4			
5				2				6
			3				5	
	1					3		4

Difficulty

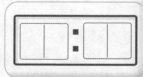

Finish Time

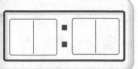

Advanced Puzzle No. 20

	5		1			4	8	
			7			1		2
2		4		9				
	6							3
4						2	6	
				3		9		5
3		5			6			
	9	8			2		4	

Difficulty

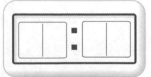

Finish Time

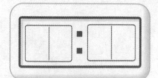

Start Time

Advanced Puzzle No. 21

1	7							
			2		9	1		
	6	8					5	
4				3				
		5	7		1	9		
				4				3
	9					8	7	
		1	3		6			
8							6	4

Difficulty

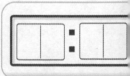

Finish Time

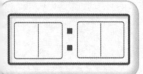

Start Time

Advanced Puzzle No. 22

7		1					9	
		6			8			3
	4				9		2	
					3	8		
5								6
		2	5					
	2		3				1	
9			1			3		
	1					4		7

Difficulty

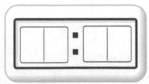

Finish Time

SUDOKU

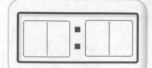

Start Time

Advanced Puzzle No. 23

	4		1					
				6		5	4	
9		5	7					8
	2					6		3
3		4					5	
5					4	9		6
	8			2				
					3		2	

Difficulty

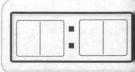

Finish Time

Advanced Puzzle No. 24

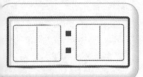
Start Time

5	9						4	
	6							
			6		7			
		7		2				
4			1		9			8
				7		2		
1			4		3			
						1		
	8						6	5

Difficulty

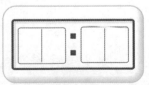

Finish Time

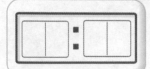

Advanced Puzzle No. 25

					3	8		
	9		4					1
	7				1	2		5
3		1						
	4						7	
						5		6
9		8	7					
4					2		1	
		7	3			9		

Difficulty

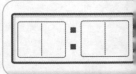

Finish Time

Advanced Puzzle No. 26

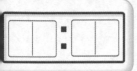
	2					5		3
		8	4				2	
9			2			4		
					4			
7								1
		6	7					
		1			8			4
	5				9		6	
3		2					9	

Difficulty

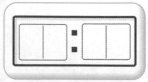

Finish Time

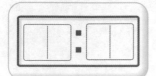

Start Time

Advanced Puzzle No. 27

			3	7			6	
						9		3
			6		8			
	2			1	9			
5								6
			4	2			8	
		7	1		5			
	5	4						
	1			4	3			

Difficulty

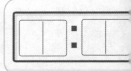

Finish Time

SUDOKU

Advanced Puzzle No. 28

Start Time

	4			1	3			
2		1						
		7			5			
			1	6			8	
5								9
	6			4				
			9		8	1		
						2	4	3
			3	7			9	

Difficulty

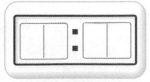

Finish Time

Start Time

Advanced Puzzle No. 29

					9		6	
		3				4	8	
6				2		1		
4				6				3
				5				
5				8				7
		1		3				
	4	8				2		
	9		5					

Difficulty

●●●●●

Finish Time

Advanced Puzzle No. 30

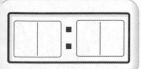

Start Time

			1	2			7	
			8			3		
							8	9
	6			4	2			
5								8
			9	7			4	
1	7							
		2	6		5			
	5				1			

Difficulty

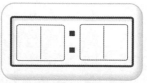

Finish Time

Start Time

Advanced Puzzle No. 31

4	5				3	9		
3					7			5
	6		9			1		
1								
		6				3		
								8
		5			6		1	
9			7					4
			1					9

Difficulty

● ● ● ● ●

Finish Time

SUDOKU

Start Time

Advanced Puzzle No. 32

		2			4			1
1					7			6
		8					4	
							5	9
		3				2		
4	7							
	3				1			
2			7					8
6			2			1		

Difficulty

● ● ● ● ●

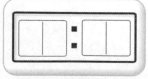

Finish Time

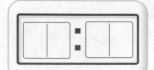

Advanced Puzzle No. 33

	8				1		4	
2			5			6		
	4				2			
								1
		7				5		
3								
		4	7					6
		2			4			5
	6		1				7	

Difficulty

Finish Time

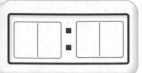

Advanced Puzzle No. 34

7					9			
9			5			1		
	3				2		8	
4								
		6				5		
							9	2
	1		2				6	
		9						5
		8					3	1

Difficulty

● ● ● ● ●

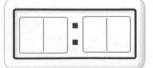

SUDOKU

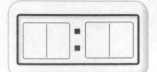

Advanced Puzzle No. 35

1	2							
4				8				
		8			3			
	3					4	6	
			7		5			
	8	4			2		7	
			5					6
				6				1
							9	2

Difficulty

● ● ● ● ●

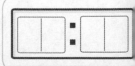

Finish Time

Advanced Puzzle No. 36

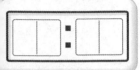

Start Time

9	1		7					
				6			1	
3		4				8		
1		5					3	
	2					5		6
		3			1			4
6				2				
					5			8

Difficulty

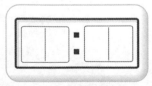

Finish Time

SOLUTIONS

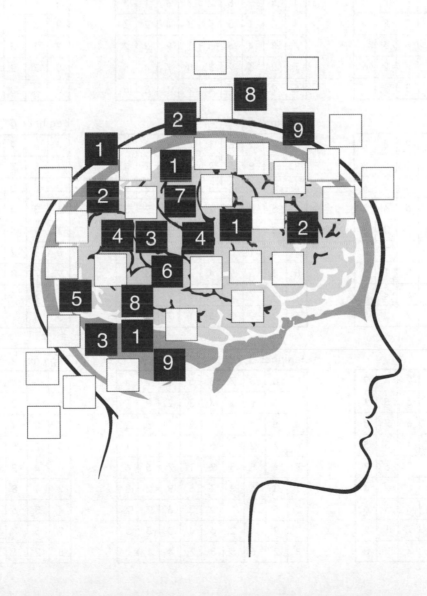

Beginner 1

9	3	8	5	1	6	7	4	2
1	6	2	7	4	8	9	3	5
4	7	5	2	3	9	1	6	8
6	8	3	9	7	2	5	1	4
2	1	9	4	8	5	6	7	3
5	4	7	3	6	1	2	8	9
7	9	4	6	2	3	8	5	1
3	5	1	8	9	7	4	2	6
8	2	6	1	5	4	3	9	7

Beginner 2

3	4	5	1	6	9	2	7	8
9	7	2	3	8	4	5	6	1
6	1	8	2	7	5	3	9	4
2	3	7	4	1	6	8	5	9
4	5	9	8	2	7	6	1	3
8	6	1	5	9	3	4	2	7
7	8	4	6	5	1	9	3	2
1	2	6	9	3	8	7	4	5
5	9	3	7	4	2	1	8	6

Beginner 3

3	2	9	1	8	7	6	4	5
5	8	4	2	9	6	1	7	3
1	6	7	5	4	3	2	8	9
7	3	8	9	2	1	4	5	6
4	9	6	8	7	5	3	2	1
2	5	1	3	6	4	8	9	7
9	1	5	4	3	2	7	6	8
8	7	2	6	1	9	5	3	4
6	4	3	7	5	8	9	1	2

Beginner 4

5	4	3	1	9	6	2	8	7
6	8	9	2	4	7	1	5	3
2	7	1	8	3	5	4	9	6
3	2	7	4	8	9	5	6	1
8	5	6	7	2	1	9	3	4
1	9	4	5	6	3	8	7	2
4	6	2	9	7	8	3	1	5
7	1	8	3	5	2	6	4	9
9	3	5	6	1	4	7	2	8

Beginner 5

5	7	2	6	1	4	3	8	9
3	1	8	5	9	2	6	7	4
4	9	6	7	8	3	5	2	1
7	5	4	1	2	6	8	9	3
9	8	3	4	7	5	2	1	6
2	6	1	8	3	9	4	5	7
8	3	5	9	4	7	1	6	2
1	4	7	2	6	8	9	3	5
6	2	9	3	5	1	7	4	8

Beginner 6

4	6	9	7	5	3	8	1	2
1	8	7	6	9	2	4	3	5
2	5	3	4	1	8	6	9	7
6	3	4	2	7	1	9	5	8
7	9	5	8	3	4	1	2	6
8	1	2	5	6	9	3	7	4
9	7	8	1	2	6	5	4	3
3	2	6	9	4	5	7	8	1
5	4	1	3	8	7	2	6	9

Beginner 7

7	5	1	8	3	6	2	4	9
6	2	3	9	4	7	5	8	1
8	9	4	1	5	2	6	7	3
9	7	8	2	6	4	1	3	5
1	4	2	3	8	5	9	6	7
5	3	6	7	1	9	8	2	4
2	1	9	4	7	8	3	5	6
4	8	5	6	9	3	7	1	2
3	6	7	5	2	1	4	9	8

Beginner 8

2	6	3	7	8	5	1	9	4
5	1	9	6	4	3	2	8	7
4	8	7	9	1	2	5	6	3
6	7	2	8	5	9	3	4	1
9	4	8	3	2	1	7	5	6
1	3	5	4	7	6	9	2	8
3	5	4	1	9	8	6	7	2
7	9	1	2	6	4	8	3	5
8	2	6	5	3	7	4	1	9

Beginner 9

1	6	3	7	5	2	9	8	4
5	9	2	8	4	6	7	3	1
7	8	4	3	9	1	6	5	2
3	7	5	9	1	4	2	6	8
6	4	9	2	8	3	1	7	5
2	1	8	6	7	5	3	4	9
4	3	6	5	2	9	8	1	7
9	5	7	1	3	8	4	2	6
8	2	1	4	6	7	5	9	3

Beginner 10

1	8	6	4	2	7	3	9	5
9	7	5	8	1	3	4	2	6
3	2	4	6	9	5	7	8	1
7	1	2	9	6	8	5	4	3
4	5	9	3	7	1	2	6	8
8	6	3	5	4	2	1	7	9
6	3	8	2	5	4	9	1	7
2	9	1	7	3	6	8	5	4
5	1	7	1	8	9	6	3	2

Beginner 11

6	7	1	8	3	4	9	2	5
4	3	2	1	5	9	6	8	7
9	5	8	7	6	2	4	1	3
5	8	9	6	2	1	3	7	4
3	4	6	9	7	8	2	5	1
1	2	7	5	4	3	8	6	9
2	6	3	4	1	7	5	9	8
7	9	5	3	8	6	1	4	2
8	1	4	2	9	5	7	3	6

Beginner 12

6	1	2	5	7	9	4	8	3
7	3	4	6	8	2	9	1	5
9	8	5	4	3	1	7	6	2
2	4	7	1	6	8	5	3	9
3	5	8	7	9	4	1	2	6
1	6	9	2	5	3	8	7	4
8	7	6	3	4	5	2	9	1
5	9	1	8	2	6	3	4	7
4	2	3	9	1	7	6	5	8

Beginner 13

2	6	5	1	9	3	4	7	8
1	4	3	5	8	7	6	9	2
9	8	7	2	4	6	3	5	1
6	5	2	3	1	4	9	8	7
4	7	8	9	5	2	1	6	3
3	9	1	6	7	8	2	4	5
5	3	4	7	6	1	8	2	9
7	2	6	8	3	9	5	1	4
8	1	9	4	2	5	7	3	6

Beginner 14

3	7	4	2	8	9	6	5	1
9	6	8	3	1	5	4	2	7
1	5	2	6	7	4	9	8	3
6	4	3	8	5	2	7	1	9
2	9	5	1	6	7	8	3	4
7	8	1	9	4	3	2	6	5
4	3	9	5	2	6	1	7	8
8	2	7	4	3	1	5	9	6
5	1	6	7	9	8	3	4	2

Beginner 15

1	8	7	9	2	4	5	3	6
5	6	2	8	1	3	4	7	9
3	4	9	6	5	7	1	8	2
7	5	6	2	3	1	9	4	8
2	1	4	5	8	9	3	6	7
8	9	3	7	4	6	2	1	5
4	7	8	3	9	2	6	5	1
9	3	5	1	6	8	7	2	4
6	2	1	4	7	5	8	9	3

Beginner 16

2	4	8	5	1	7	6	9	3
9	5	3	2	6	8	7	1	4
7	6	1	3	4	9	5	2	8
6	2	4	9	5	1	3	8	7
1	7	9	8	3	6	4	5	2
8	3	5	4	7	2	1	6	9
4	1	2	7	8	5	9	3	6
5	9	7	6	2	3	8	4	1
3	8	6	1	9	4	2	7	5

Beginner 17

8	7	3	1	5	4	9	6	2
4	5	2	9	6	7	8	3	1
1	9	6	8	2	3	5	7	4
3	8	9	7	1	2	6	4	5
6	1	5	3	4	9	2	8	7
7	2	4	6	8	5	3	1	9
9	4	7	5	3	8	1	2	6
5	6	8	2	7	1	4	9	3
2	3	1	4	9	6	7	5	8

Beginner 18

8	2	6	3	4	7	1	9	5
7	3	5	9	8	1	4	2	6
1	4	9	6	5	2	8	3	7
9	1	8	5	3	6	7	4	2
3	6	4	2	7	9	5	1	8
5	7	2	8	1	4	3	6	9
2	5	1	4	9	8	6	7	3
4	9	3	7	6	5	2	8	1
6	8	7	1	2	3	9	5	4

Beginner 19

5	2	7	9	3	8	6	4	1
8	9	1	6	2	4	5	7	3
4	3	6	1	7	5	2	9	8
1	6	4	2	5	9	8	3	7
3	7	9	8	6	1	4	2	5
2	8	5	3	4	7	9	1	6
6	1	8	4	9	3	7	5	2
7	4	2	5	1	6	3	8	9
9	5	3	7	8	2	1	6	4

Beginner 20

1	2	9	4	8	7	6	5	3
3	8	7	5	6	2	1	9	4
6	5	4	9	1	3	2	8	7
8	6	2	7	3	9	5	4	1
4	3	1	2	5	6	8	7	9
9	7	5	8	4	1	3	6	2
5	9	3	6	2	4	7	1	8
7	1	8	3	9	5	4	2	6
2	4	6	1	7	8	9	3	5

Beginner 21

9	1	7	8	4	2	6	3	5
3	4	2	9	5	6	1	8	7
8	5	6	1	7	3	9	4	2
1	8	3	7	9	5	2	6	4
5	6	4	3	2	8	7	9	1
2	7	9	4	6	1	3	5	8
7	9	1	6	8	4	5	2	3
4	3	5	2	1	9	8	7	6
6	2	8	5	3	7	4	1	9

Beginner 22

8	3	6	1	4	9	2	7	5
7	9	2	5	8	6	3	1	4
4	5	1	2	3	7	8	9	6
1	8	3	4	7	2	6	5	9
6	7	5	3	9	1	4	2	8
2	4	9	8	6	5	1	3	7
3	1	4	9	5	8	7	6	2
5	2	7	6	1	4	9	8	3
9	6	8	7	2	3	5	4	1

Beginner 23

5	4	1	8	9	2	6	7	3
7	9	2	6	3	4	5	1	8
8	6	3	7	5	1	2	9	4
1	7	8	9	2	6	4	3	5
3	2	9	5	4	8	7	6	1
6	5	4	1	7	3	8	2	9
2	1	5	4	6	9	3	8	7
4	8	6	3	1	7	9	5	2
9	3	7	2	8	5	1	4	6

Beginner 24

8	7	9	4	2	6	1	3	5
3	4	1	5	7	9	6	8	2
6	5	2	8	3	1	9	7	4
1	3	4	2	5	8	7	6	9
2	9	8	7	6	4	3	5	1
7	6	5	9	1	3	2	4	8
9	8	6	3	4	2	5	1	7
5	2	3	1	8	7	4	9	6
4	1	7	6	9	5	8	2	3

Beginner 25

5	1	6	3	9	4	2	8	7
4	9	7	2	6	8	3	5	1
2	8	3	1	5	7	9	6	4
8	4	5	9	7	6	1	2	3
3	7	1	8	2	5	6	4	9
9	6	2	4	3	1	5	7	8
7	3	9	6	8	2	4	1	5
1	2	8	5	4	3	7	9	6
6	5	4	7	1	9	8	3	2

Beginner 26

6	9	5	3	8	7	4	1	2
7	4	3	5	1	2	8	6	9
2	8	1	9	4	6	5	3	7
3	5	4	7	9	1	6	2	8
9	6	2	4	5	8	1	7	3
8	1	7	6	2	3	9	5	4
5	2	8	1	7	9	3	4	6
1	3	9	2	6	4	7	8	5
4	7	6	8	3	5	2	9	1

Beginner 27

4	3	2	8	1	6	7	5	9
5	6	9	3	7	4	8	1	2
1	7	8	9	5	2	4	6	3
3	4	7	2	8	5	6	9	1
2	1	6	7	4	9	3	8	5
9	8	5	1	6	3	2	7	4
7	9	1	4	3	8	5	2	6
8	5	3	6	2	1	9	4	7
6	2	4	5	9	7	1	3	8

Beginner 28

7	8	5	4	3	6	9	1	2
3	6	2	1	9	5	4	8	7
9	1	4	8	2	7	5	6	3
4	9	1	6	7	8	3	2	5
5	7	6	3	4	2	1	9	8
2	3	8	9	5	1	6	7	4
8	4	3	7	1	9	2	5	6
1	2	7	5	6	3	8	4	9
6	5	9	2	8	4	7	3	1

Beginner 29

2	6	8	3	9	7	4	5	1
5	3	7	4	1	8	2	9	6
9	1	4	2	5	6	7	3	8
4	7	6	5	8	9	1	2	3
1	2	5	7	3	4	6	8	9
3	8	9	1	6	2	5	7	4
8	4	3	6	7	5	9	1	2
7	9	2	8	4	1	3	6	5
6	5	1	9	2	3	8	4	7

Beginner 30

7	9	4	5	1	3	2	6	8
2	1	8	4	9	6	5	7	3
3	6	5	8	7	2	1	4	9
9	7	6	1	3	8	4	5	2
8	5	3	2	4	7	6	9	1
1	4	2	6	5	9	3	8	7
4	2	1	7	8	5	9	3	6
5	8	9	3	6	1	7	2	4
6	3	7	9	2	4	8	1	5

Beginner 31

9	6	5	3	7	4	2	8	1
4	3	8	5	2	1	9	7	6
7	2	1	6	8	9	5	4	3
8	5	4	7	9	6	1	3	2
3	1	6	4	5	2	8	9	7
2	7	9	1	3	8	6	5	4
5	9	7	2	1	3	4	6	8
6	8	2	9	4	7	3	1	5
1	4	3	8	6	5	7	2	9

Beginner 32

8	6	1	9	3	4	2	7	5
5	4	7	6	2	8	3	9	1
9	2	3	5	1	7	4	8	6
2	7	5	3	8	6	9	1	4
1	9	6	4	7	5	8	2	3
3	8	4	2	9	1	5	6	7
7	5	9	1	4	2	6	3	8
6	3	8	7	5	9	1	4	2
4	1	2	8	6	3	7	5	9

Beginner 33

3	4	2	6	5	1	9	7	8
8	5	6	7	9	4	1	2	3
7	1	9	8	2	3	4	6	5
6	2	5	1	8	9	3	4	7
4	7	1	3	6	5	8	9	2
9	8	3	4	7	2	5	1	6
1	3	7	2	4	8	6	5	9
5	6	4	9	3	7	2	8	1
2	9	8	5	1	6	7	3	4

Beginner 34

3	4	2	5	1	9	7	8	6
9	8	1	7	6	3	4	5	2
6	5	7	2	8	4	9	3	1
4	1	6	9	2	8	5	7	3
8	7	9	3	5	1	6	2	4
5	2	3	4	7	6	1	9	8
7	3	4	1	9	2	8	6	5
2	6	5	8	4	7	3	1	9
1	9	8	6	3	5	2	4	7

Beginner 35

2	1	5	4	7	9	8	3	6
3	7	8	2	6	1	4	5	9
9	6	4	8	5	3	7	2	1
4	2	1	3	8	7	6	9	5
8	9	7	6	1	5	3	4	2
6	5	3	9	2	4	1	8	7
1	4	9	7	3	2	5	6	8
5	3	6	1	9	8	2	7	4
7	8	2	5	4	6	9	1	3

Beginner 36

8	5	2	1	7	3	6	4	9
7	3	6	9	4	2	5	1	8
1	4	9	5	8	6	7	3	2
4	8	5	3	9	7	1	2	6
6	2	3	4	1	5	9	8	7
9	7	1	2	6	8	4	5	3
3	6	4	7	2	1	8	9	5
2	9	8	6	5	4	3	7	1
5	1	7	8	3	9	2	6	4

Beginner 37

7	9	6	3	1	5	4	2	8
8	4	5	7	6	2	3	9	1
2	3	1	4	8	9	5	6	7
3	6	4	8	5	1	2	7	9
9	7	8	6	2	4	1	3	5
5	1	2	9	7	3	6	8	4
4	5	7	2	3	8	9	1	6
6	2	9	1	4	7	8	5	3
1	8	3	5	9	6	7	4	2

Beginner 38

5	8	2	3	6	9	1	4	7
9	1	7	5	8	4	3	2	6
6	3	4	1	7	2	8	9	5
1	9	8	6	4	3	5	7	2
2	6	5	8	9	7	4	1	3
4	7	3	2	5	1	9	6	8
8	5	9	4	2	6	7	3	1
7	2	1	9	3	5	6	8	4
3	4	6	7	1	8	2	5	9

Beginner 39

7	1	9	3	2	8	4	6	5
2	8	6	5	4	9	3	1	7
3	4	5	7	1	6	9	8	2
1	6	8	2	5	3	7	9	4
4	5	2	9	8	7	6	3	1
9	7	3	1	6	4	2	5	8
5	3	1	4	9	2	8	7	6
6	2	7	8	3	1	5	4	9
8	9	4	6	7	5	1	2	3

Beginner 40

4	1	7	2	5	6	3	9	8
5	8	2	9	4	3	7	1	6
9	3	6	7	1	8	4	5	2
7	2	9	6	8	5	1	3	4
3	5	1	4	2	7	8	6	9
8	6	4	3	9	1	5	2	7
2	9	3	5	7	4	6	8	1
1	7	5	8	6	9	2	4	3
6	4	8	1	3	2	9	7	5

Beginner 41

6	7	1	4	2	8	3	5	9
9	5	2	1	3	7	4	6	8
8	4	3	9	5	6	1	2	7
3	6	7	8	4	1	2	9	5
5	1	8	2	6	9	7	4	3
4	2	9	5	7	3	8	1	6
7	3	4	6	1	5	9	8	2
2	8	5	7	9	4	6	3	1
1	9	6	3	8	2	5	7	4

Beginner 42

5	1	2	7	8	9	3	4	6
7	3	4	1	2	6	9	8	5
6	8	9	5	4	3	7	2	1
9	6	8	2	3	1	4	5	7
1	4	5	8	9	7	6	3	2
3	2	7	4	6	5	1	9	8
4	5	3	6	1	2	8	7	9
8	7	6	9	5	4	2	1	3
2	9	1	3	7	8	5	6	4

Beginner 43

9	3	6	5	4	1	7	2	8
7	1	8	2	9	3	4	5	6
5	4	2	7	8	6	1	3	9
2	9	7	8	1	4	3	6	5
1	6	5	3	7	2	9	8	4
3	8	4	6	5	9	2	1	7
4	5	3	1	6	7	8	9	2
8	2	9	4	3	5	6	7	1
6	7	1	9	2	8	5	4	3

Beginner 44

5	2	8	1	7	3	6	9	4
9	7	4	5	6	8	3	1	2
3	6	1	4	9	2	5	7	8
1	4	2	7	5	6	9	8	3
6	3	5	9	8	4	7	2	1
8	9	7	2	3	1	4	6	5
4	1	3	6	2	9	8	5	7
7	8	6	3	1	5	2	4	9
2	5	9	8	4	7	1	3	6

Beginner 45

1	6	4	2	3	9	5	8	7
8	3	2	5	7	4	9	1	6
5	7	9	1	8	6	4	3	2
6	8	3	7	9	2	1	4	5
4	1	7	3	6	5	8	2	9
9	2	5	4	1	8	7	6	3
3	9	8	6	4	7	2	5	1
2	4	6	9	5	1	3	7	8
7	5	1	8	2	3	6	9	4

Beginner 46

2	6	1	3	8	4	7	9	5
5	8	9	1	7	2	3	6	4
7	3	4	6	5	9	1	8	2
6	9	7	2	3	1	5	4	8
3	4	2	5	6	8	9	7	1
1	5	8	4	9	7	2	3	6
4	7	5	9	2	6	8	1	3
9	2	6	8	1	3	4	5	7
8	1	3	7	4	5	6	2	9

Beginner 47

9	7	5	2	3	8	1	6	4
8	3	1	6	4	7	2	5	9
2	6	4	1	5	9	8	7	3
5	8	7	9	1	2	3	4	6
1	4	6	8	7	3	9	2	5
3	9	2	5	6	4	7	8	1
4	1	8	3	2	5	6	9	7
7	2	3	4	9	6	5	1	8
6	5	9	7	8	1	4	3	2

Beginner 48

9	1	4	7	2	6	8	5	3
3	8	7	1	9	5	2	4	6
2	5	6	8	4	3	9	1	7
4	9	5	3	8	1	7	6	2
6	2	1	5	7	9	4	3	8
7	3	8	4	6	2	1	9	5
5	4	3	2	1	8	6	7	9
1	6	2	9	3	7	5	8	4
8	7	9	6	5	4	3	2	1

Beginner 49

6	1	3	7	5	9	8	4	2
8	7	4	2	6	1	5	3	9
5	9	2	8	3	4	6	7	1
4	2	1	3	9	8	7	6	5
3	8	7	5	2	6	9	1	4
9	6	5	4	1	7	2	8	3
1	4	6	9	8	5	3	2	7
2	5	8	1	7	3	4	9	6
7	3	9	6	4	2	1	5	8

Beginner 50

8	6	1	4	5	7	2	9	3
5	4	9	6	3	2	8	1	7
2	7	3	1	8	9	6	5	4
6	9	8	7	1	5	4	3	2
3	1	7	8	2	4	5	6	9
4	5	2	3	9	6	7	8	1
9	2	6	5	7	1	3	4	8
7	3	5	9	4	8	1	2	6
1	8	4	2	6	3	9	7	5

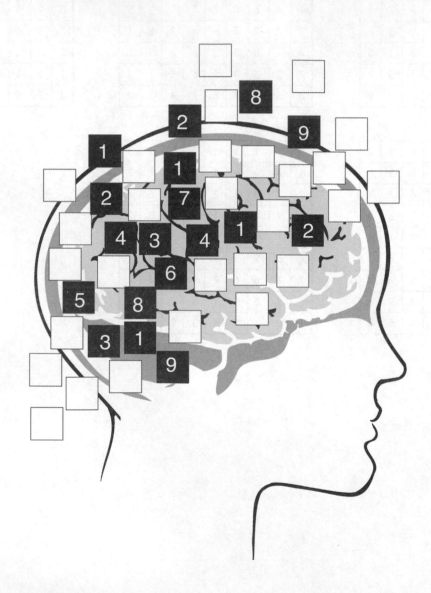

Intermediate 1

1	6	2	8	7	3	9	5	4
8	3	7	5	9	4	2	1	6
5	4	9	1	2	6	7	8	3
9	1	4	2	6	8	3	7	5
7	5	3	9	4	1	6	2	8
2	8	6	7	3	5	4	9	1
6	7	8	3	5	9	1	4	2
3	9	5	4	1	2	8	6	7
4	2	1	6	8	7	5	3	9

Intermediate 2

6	1	3	4	9	7	8	5	2
4	8	5	3	6	2	1	7	9
7	2	9	8	5	1	3	6	4
8	6	1	7	3	9	4	2	5
5	9	2	1	4	8	6	3	7
3	4	7	6	2	5	9	8	1
2	3	8	9	7	4	5	1	6
1	5	4	2	8	6	7	9	3
9	7	6	5	1	3	2	4	8

Intermediate 3

2	5	1	9	6	8	4	7	3
6	3	8	1	4	7	5	2	9
7	9	4	5	2	3	1	8	6
8	6	3	2	7	5	9	1	4
1	4	7	8	9	6	2	3	5
5	2	9	4	3	1	7	6	8
9	1	6	7	8	4	3	5	2
3	7	2	6	5	9	8	4	1
4	8	5	3	1	2	6	9	7

Intermediate 4

1	6	9	2	3	7	8	4	5
8	7	3	9	4	5	2	1	6
2	5	4	6	8	1	9	3	7
3	4	6	8	1	9	7	5	2
5	1	8	7	2	3	4	6	9
7	9	2	5	6	4	3	8	1
4	3	7	1	5	2	6	9	8
9	8	5	4	7	6	1	2	3
6	2	1	3	9	8	5	7	4

Intermediate 5

5	8	4	1	7	3	2	9	6
2	1	3	6	9	8	5	4	7
9	7	6	2	5	4	3	1	8
8	2	5	3	1	9	6	7	4
4	6	7	8	2	5	1	3	9
3	9	1	4	6	7	8	5	2
1	5	9	7	8	2	4	6	3
6	3	8	9	4	1	7	2	5
7	4	2	5	3	6	9	8	1

Intermediate 6

3	4	1	8	9	7	6	5	2
7	6	9	4	5	2	3	1	8
5	2	8	3	1	6	4	9	7
8	1	4	9	6	3	2	7	5
2	9	3	7	8	5	1	6	4
6	5	7	1	2	4	8	3	9
9	7	2	6	4	1	5	8	3
1	8	5	2	3	9	7	4	6
4	3	6	5	7	8	9	2	1

Intermediate 7

6	5	8	9	4	1	7	3	2
7	4	3	5	8	2	6	1	9
1	2	9	7	3	6	5	4	8
4	7	2	8	5	3	9	6	1
3	9	6	2	1	4	8	5	7
5	8	1	6	9	7	3	2	4
9	1	4	3	6	8	2	7	5
2	6	5	4	7	9	1	8	3
8	3	7	1	2	5	4	9	6

Intermediate 8

8	1	9	5	3	6	4	2	7
6	4	7	1	2	9	5	3	8
3	2	5	8	7	4	6	1	9
1	9	3	7	6	5	2	8	4
4	7	2	9	1	8	3	6	5
5	6	8	2	4	3	9	7	1
2	8	4	3	9	7	1	5	6
7	3	6	4	5	1	8	9	2
9	5	1	6	8	2	7	4	3

Intermediate 9

5	3	1	9	8	4	7	6	2
7	2	9	3	1	6	8	4	5
4	8	6	7	2	5	3	1	9
8	7	3	2	5	1	4	9	6
1	6	4	8	9	3	2	5	7
2	9	5	4	6	7	1	8	3
9	4	2	6	3	8	5	7	1
6	1	7	5	4	2	9	3	8
3	5	8	1	7	9	6	2	4

Intermediate 10

6	1	4	9	3	5	8	2	7
2	8	5	6	1	7	9	3	4
7	9	3	4	8	2	6	5	1
1	4	7	2	5	6	3	8	9
3	5	2	8	4	9	1	7	6
8	6	9	1	7	3	2	4	5
9	7	8	3	6	4	5	1	2
4	2	1	5	9	8	7	6	3
5	3	6	7	2	1	4	9	8

Intermediate 11

6	1	8	4	5	2	7	9	3
7	2	9	1	3	6	5	8	4
3	5	4	9	7	8	1	6	2
8	6	1	5	4	7	2	3	9
4	9	5	2	6	3	8	7	1
2	3	7	8	1	9	6	4	5
9	4	2	7	8	5	3	1	6
1	8	3	6	2	4	9	5	7
5	7	6	3	9	1	4	2	8

Intermediate 12

9	6	3	4	7	8	1	2	5
1	7	4	5	2	9	8	3	6
2	5	8	1	6	3	7	9	4
8	1	7	3	9	4	5	6	2
3	9	2	6	1	5	4	8	7
5	4	6	7	8	2	9	1	3
6	8	5	2	4	1	3	7	9
4	2	9	8	3	7	6	5	1
7	3	1	9	5	6	2	4	8

Intermediate 13

1	2	9	7	8	5	4	6	3
6	7	3	2	1	4	5	8	9
5	8	4	6	3	9	1	2	7
3	1	2	9	5	7	8	4	6
4	9	5	8	6	2	7	3	1
7	6	8	1	4	3	9	5	2
8	3	1	4	9	6	2	7	5
9	5	7	3	2	8	6	1	4
2	4	6	5	7	1	3	9	8

Intermediate 14

1	5	9	4	7	6	2	8	3
6	4	3	2	8	1	9	5	7
2	7	8	5	3	9	4	6	1
5	1	6	7	9	4	8	3	2
4	9	2	3	6	8	7	1	5
8	3	7	1	5	2	6	4	9
3	8	4	9	1	7	5	2	6
7	2	1	6	4	5	3	9	8
9	6	5	8	2	3	1	7	4

Intermediate 15

9	1	7	4	6	2	5	3	8
4	6	3	5	7	8	2	1	9
2	5	8	1	9	3	6	7	4
6	4	2	3	8	7	9	5	1
7	8	1	9	4	5	3	2	6
3	9	5	6	2	1	8	4	7
8	7	4	2	5	6	1	9	3
1	2	9	8	3	4	7	6	5
5	3	6	7	1	9	4	8	2

Intermediate 16

5	9	6	2	4	3	1	8	7
8	7	4	5	1	6	9	2	3
1	2	3	9	7	8	5	4	6
2	5	7	1	3	4	6	9	8
4	6	8	7	9	2	3	1	5
9	3	1	6	8	5	4	7	2
7	4	5	3	2	9	8	6	1
6	8	2	4	5	1	7	3	9
3	1	9	8	6	7	2	5	4

Intermediate 17

5	8	4	2	9	6	3	7	1
2	3	6	8	1	7	5	9	4
9	1	7	4	3	5	8	6	2
6	5	9	7	4	3	1	2	8
8	7	3	1	6	2	9	4	5
4	2	1	5	8	9	7	3	6
3	9	5	6	2	1	4	8	7
7	6	8	9	5	4	2	1	3
1	4	2	3	7	8	6	5	9

Intermediate 18

7	1	8	4	9	5	2	3	6
5	6	4	2	3	8	7	9	1
9	2	3	1	6	7	4	8	5
6	8	1	7	2	9	3	5	4
4	3	5	8	1	6	9	2	7
2	7	9	5	4	3	6	1	8
3	4	6	9	8	1	5	7	2
1	5	2	3	7	4	8	6	9
8	9	7	6	5	2	1	4	3

Intermediate 19

2	8	3	7	9	1	4	6	5
9	5	7	4	6	8	1	2	3
1	4	6	5	2	3	7	9	8
7	6	5	8	4	2	9	3	1
3	9	4	6	1	7	8	5	2
8	2	1	3	5	9	6	7	4
4	7	9	2	8	5	3	1	6
6	1	2	9	3	4	5	8	7
5	3	8	1	7	6	2	4	9

Intermediate 20

5	7	2	9	3	1	6	8	4
8	1	4	5	2	6	9	7	3
6	9	3	4	7	8	5	2	1
7	5	1	3	9	2	4	6	8
2	4	6	1	8	7	3	9	5
9	3	8	6	4	5	2	1	7
3	2	5	8	1	9	7	4	6
4	8	7	2	6	3	1	5	9
1	6	9	7	5	4	8	3	2

Intermediate 21

9	8	7	5	1	4	6	3	2
6	2	1	8	3	9	7	4	5
5	4	3	7	2	6	8	9	1
2	1	6	9	5	3	4	7	8
3	7	4	2	8	1	9	5	6
8	9	5	6	4	7	2	1	3
1	5	2	4	9	8	3	6	7
7	3	9	1	6	2	5	8	4
4	6	8	3	7	5	1	2	9

Intermediate 22

3	4	7	8	2	9	1	6	5
8	1	9	5	6	3	2	7	4
6	2	5	1	7	4	9	3	8
4	5	2	7	9	8	3	1	6
9	7	8	6	3	1	4	5	2
1	3	6	2	4	5	7	8	9
2	6	3	9	5	7	8	4	1
5	8	4	3	1	2	6	9	7
7	9	1	4	8	6	5	2	3

Intermediate 23

7	4	3	1	5	9	8	6	2
9	1	2	8	6	7	3	5	4
6	8	5	4	2	3	1	7	9
2	7	4	5	8	6	9	1	3
8	5	1	3	9	2	7	4	6
3	9	6	7	1	4	2	8	5
4	6	9	2	7	1	5	3	8
5	2	7	6	3	8	4	9	1
1	3	8	9	4	5	6	2	7

Intermediate 24

8	5	7	9	1	3	2	6	4
6	4	2	8	7	5	1	9	3
9	3	1	6	2	4	7	8	5
7	9	5	1	3	6	4	2	8
1	6	3	2	4	8	5	7	9
2	8	4	7	5	9	3	1	6
3	2	6	4	8	7	9	5	1
5	1	9	3	6	2	8	4	7
4	7	8	5	9	1	6	3	2

Intermediate 25

1	3	8	4	2	5	9	7	6
4	2	6	3	7	9	1	5	8
7	5	9	6	1	8	2	4	3
3	1	5	2	9	4	6	8	7
9	4	7	8	5	6	3	1	2
8	6	2	1	3	7	4	9	5
6	7	1	5	4	2	8	3	9
2	9	4	7	8	3	5	6	1
5	8	3	9	6	1	7	2	4

Intermediate 26

6	3	2	9	5	1	7	4	8
8	9	7	3	2	4	1	5	6
1	5	4	8	7	6	9	3	2
5	1	6	4	9	3	2	8	7
9	7	3	6	8	2	4	1	5
2	4	8	7	1	5	6	9	3
7	2	5	1	3	9	8	6	4
4	8	1	5	6	7	3	2	9
3	6	9	2	4	8	5	7	1

Intermediate 27

6	2	4	5	3	7	8	1	9
7	8	5	1	4	9	2	3	6
3	9	1	8	6	2	4	5	7
2	1	9	6	7	4	3	8	5
4	3	8	9	5	1	6	7	2
5	7	6	2	8	3	9	4	1
1	4	2	7	9	8	5	6	3
8	6	7	3	2	5	1	9	4
9	5	3	4	1	6	7	2	8

Intermediate 28

5	6	9	3	1	8	2	4	7
4	8	3	7	2	9	6	5	1
2	7	1	4	5	6	3	8	9
9	5	4	8	3	2	1	7	6
6	1	7	9	4	5	8	3	2
8	3	2	6	7	1	5	9	4
3	2	5	1	9	4	7	6	8
7	9	8	2	6	3	4	1	5
1	4	6	5	8	7	9	2	3

Intermediate 29

2	8	3	4	5	7	1	6	9
1	9	7	3	6	8	4	2	5
6	4	5	2	9	1	3	8	7
7	5	2	6	1	4	8	9	3
9	3	8	5	7	2	6	1	4
4	6	1	9	8	3	5	7	2
5	7	6	8	4	9	2	3	1
8	2	9	1	3	5	7	4	6
3	1	4	7	2	6	9	5	8

Intermediate 30

8	4	5	1	2	9	6	3	7
9	7	1	3	6	8	2	4	5
6	2	3	5	7	4	8	1	9
4	6	9	8	1	5	3	7	2
3	1	2	4	9	7	5	8	6
7	5	8	2	3	6	1	9	4
5	9	6	7	8	1	4	2	3
2	8	7	6	4	3	9	5	1
1	3	4	9	5	2	7	6	8

Intermediate 31

3	7	8	5	2	4	6	1	9
2	9	1	8	6	3	4	7	5
5	6	4	9	1	7	2	3	8
4	3	6	7	8	1	5	9	2
7	1	9	2	4	5	3	8	6
8	5	2	3	9	6	7	4	1
1	2	3	6	7	9	8	5	4
6	4	7	1	5	8	9	2	3
9	8	5	4	3	2	1	6	7

Intermediate 32

8	5	4	6	2	7	1	9	3
2	6	3	8	1	9	5	4	7
1	9	7	3	5	4	2	8	6
3	8	2	1	7	6	9	5	4
6	4	1	9	8	5	7	3	2
9	7	5	2	4	3	6	1	8
5	2	8	4	6	1	3	7	9
7	3	6	5	9	8	4	2	1
4	1	9	7	3	2	8	6	5

Intermediate 33

1	6	9	7	4	3	8	5	2
7	8	5	6	1	2	3	9	4
3	4	2	5	8	9	1	6	7
5	9	1	3	6	4	2	7	8
8	2	4	9	7	5	6	1	3
6	3	7	1	2	8	5	4	9
2	5	6	4	3	7	9	8	1
9	7	8	2	5	1	4	3	6
4	1	3	8	9	6	7	2	5

Intermediate 34

9	8	5	3	2	7	4	1	6
2	1	3	4	6	9	5	7	8
4	7	6	8	1	5	9	3	2
8	3	7	6	4	2	1	9	5
5	9	2	7	3	1	6	8	4
6	4	1	5	9	8	3	2	7
1	5	9	2	7	6	8	4	3
7	6	4	1	8	3	2	5	9
3	2	8	9	5	4	7	6	1

Intermediate 35

4	2	6	3	7	1	9	8	5
3	1	5	8	9	6	4	7	2
7	8	9	2	4	5	1	6	3
1	7	2	9	6	8	5	3	4
5	3	4	7	1	2	8	9	6
9	6	8	4	5	3	7	2	1
8	5	1	6	2	7	3	4	9
6	4	7	1	3	9	2	5	8
2	9	3	5	8	4	6	1	7

Intermediate 36

3	5	6	2	4	7	1	8	9
1	2	8	9	3	5	6	4	7
4	7	9	1	8	6	3	5	2
9	6	4	8	5	1	7	2	3
5	3	1	7	6	2	4	9	8
7	8	2	4	9	3	5	1	6
6	9	7	5	2	4	8	3	1
8	1	5	3	7	9	2	6	4
2	4	3	6	1	8	9	7	5

Intermediate 37

6	2	9	8	4	3	5	1	7
5	7	8	1	2	9	3	4	6
4	1	3	5	6	7	9	2	8
7	4	1	6	9	2	8	3	5
9	8	5	4	3	1	7	6	2
2	3	6	7	5	8	1	9	4
3	5	2	9	7	6	4	8	1
8	9	4	2	1	5	6	7	3
1	6	7	3	8	4	2	5	9

Intermediate 38

7	9	5	4	1	8	6	2	3
6	3	4	2	7	9	1	8	5
2	1	8	3	6	5	7	9	4
4	2	6	7	5	3	9	1	8
3	8	7	9	2	1	5	4	6
9	5	1	6	8	4	3	7	2
8	7	9	5	4	6	2	3	1
5	4	3	1	9	2	8	6	7
1	6	2	8	3	7	4	5	9

Intermediate 39

5	4	9	2	3	1	8	6	7
8	1	2	5	6	7	3	4	9
6	3	7	4	8	9	2	5	1
9	2	4	6	7	8	1	3	5
1	6	5	3	4	2	9	7	8
7	8	3	1	9	5	6	2	4
3	5	6	8	1	4	7	9	2
4	9	1	7	2	6	5	8	3
2	7	8	9	5	3	4	1	6

Intermediate 40

2	5	6	1	3	4	7	8	9
3	9	8	6	7	2	5	4	1
1	7	4	5	9	8	2	3	6
6	1	9	2	5	3	8	7	4
5	8	7	9	4	1	3	6	2
4	2	3	8	6	7	9	1	5
8	4	5	3	2	6	1	9	7
7	3	2	4	1	9	6	5	8
9	6	1	7	8	5	4	2	3

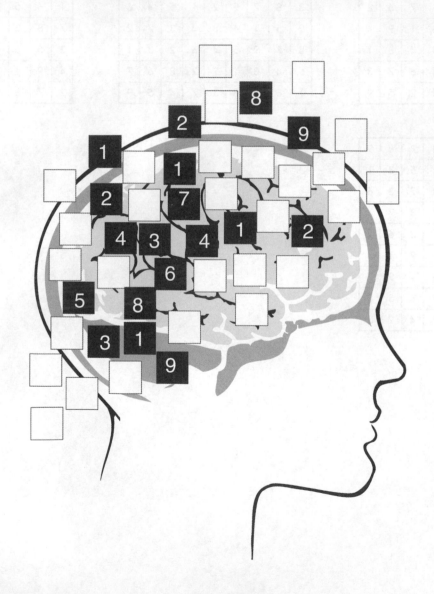